Mathefreunde 1

Name

Das kann ich schon

Cornelsen

Die Zahlen bis 6

| 3 | 2 | 5 | 4 | 6 |

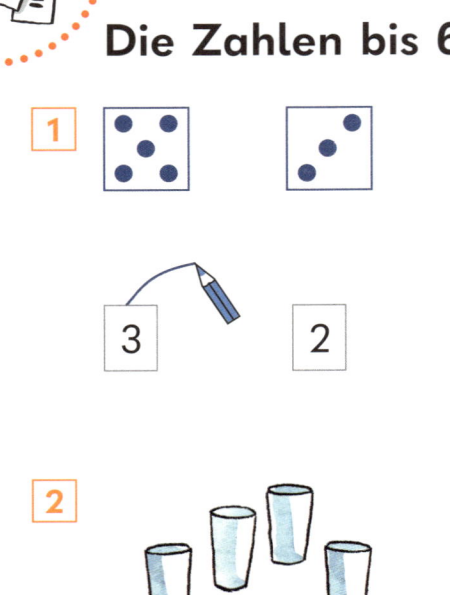

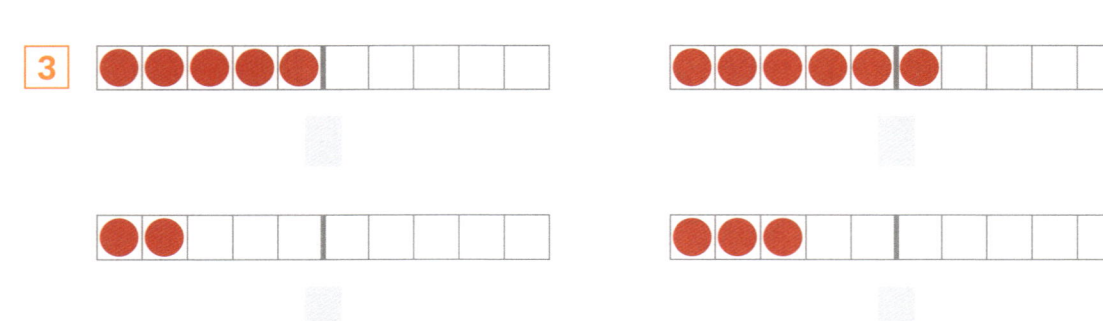

Vergleichen und Zerlegen bis 6

1

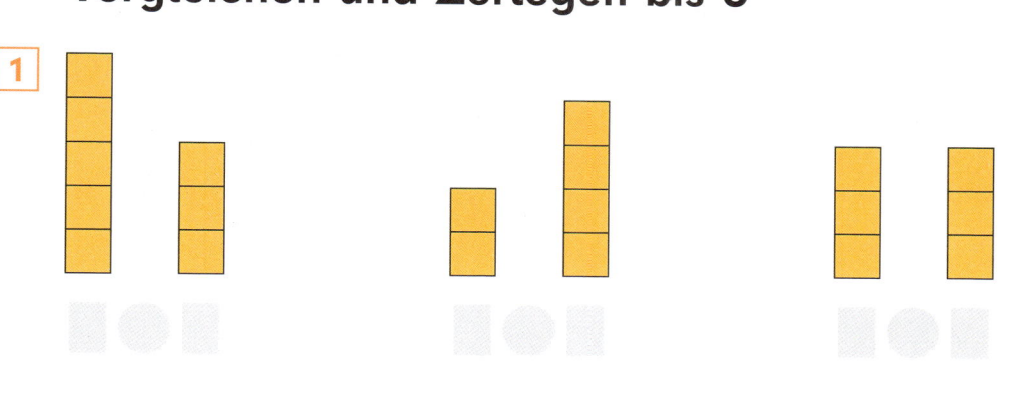

2

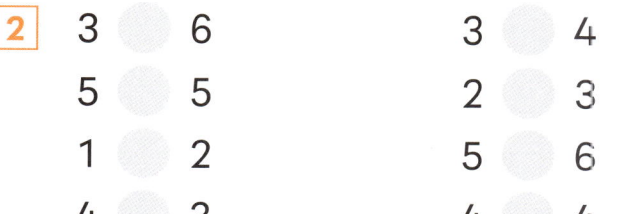 

3	6		3	4
5	5		2	3
1	2		5	6
4	3		4	4

3

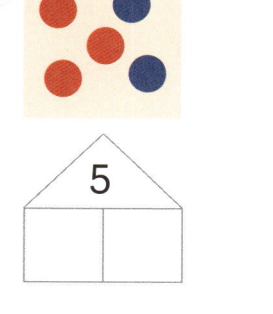 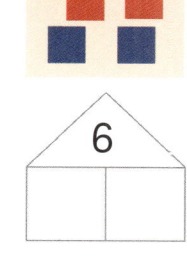 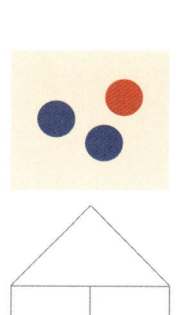

4

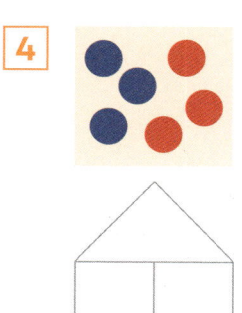 

Addieren und Subtrahieren bis 6

1

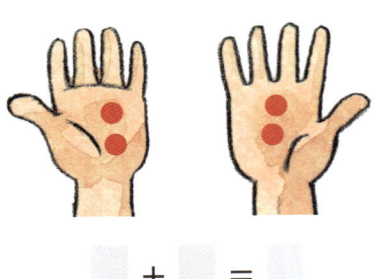

◻ + ◻ = ◻   ◻ – ◻ = ◻

2

◻ + ◻ = ◻

◻ – ◻ = ◻

◻ + ◻ = ◻

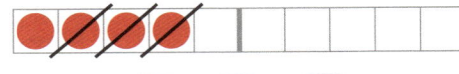

◻ – ◻ = ◻

◻ + ◻ = ◻

◻ – ◻ = ◻

◻ + ◻ = ◻

◻ – ◻ = ◻

3

$1 + 4 =$ ◻ $6 - 4 =$ ◻

$3 + 1 =$ ◻ $5 - 2 =$ ◻

$5 + 1 =$ ◻ $4 - 1 =$ ◻

$2 + 2 =$ ◻ $3 - 2 =$ ◻

Diese Seite fand ich: ◻ leicht ☺ ◻ mittel 😐 ◻ schwierig ☹

Die Zahlen bis 10

1

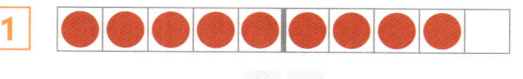

2

6		9
5		5
1		0
8		7

10		9
4		5
8		8
7		10

3

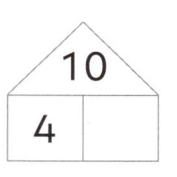
10
3

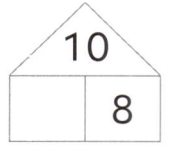
10
4

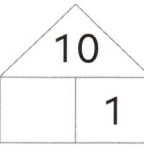
10
8

10
1

4

V	Z	N
	3	

V	Z	N
	9	

V	Z	N
	8	

V	Z	N
7		

5

0   2   3   4   6   8   10

Addieren und Subtrahieren bis 10

1

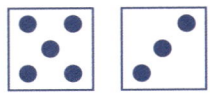

⬜ + ⬜ = ⬜⬜   ⬜ + ⬜ = ⬜⬜   ⬜ + ⬜ = ⬜⬜

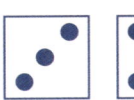

⬜ + ⬜ = ⬜⬜   ⬜ + ⬜ = ⬜⬜   ⬜ + ⬜ = ⬜⬜

2

⬜⬜ − ⬜ = ⬜   ⬜⬜ − ⬜ = ⬜

 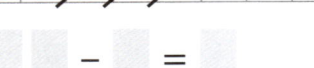

⬜⬜ − ⬜ = ⬜   ⬜⬜ − ⬜ = ⬜

3

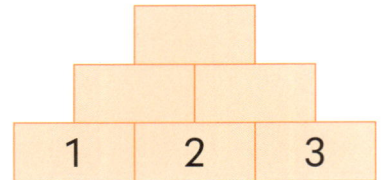

| | 10 | |
| 1 | 2 | 3 |

4

5 + 4 = ⬜⬜   10 − 5 = ⬜⬜

6 + 2 = ⬜⬜   9 − 3 = ⬜⬜

3 + 7 = ⬜⬜   7 − 1 = ⬜⬜

9 + 0 = ⬜⬜   8 − 4 = ⬜⬜

Die Zahlen bis 20

1

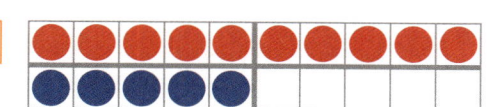

10 + ▢ = ▢▢

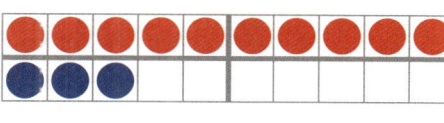

10 + ▢ = ▢▢

▢▢ + ▢ = ▢▢

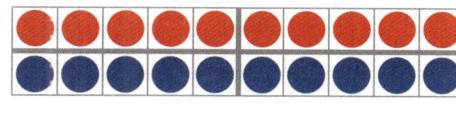

▢▢ + ▢ = ▢▢

2

Z	E
1	6

▢▢ + ▢ = ▢▢

Z	E
1	4

▢▢ + ▢ = ▢▢

Z	E
1	2

▢▢ + ▢ = ▢▢

Z	E
1	7

▢▢ + ▢ = ▢▢

Z	E
1	9

▢▢ + ▢ = ▢▢

Z	E
2	0

▢▢ + ▢ = ▢▢

3

10 11 ▢ ▢ 13 14 ▢ 16 ▢ 18 19 20

4

1		3	4	5		7			10
	12				16			19	20

Addieren und Subtrahieren bis 20

1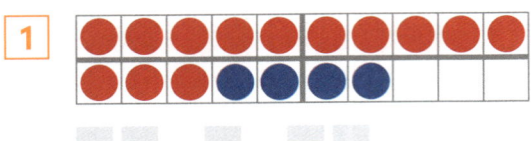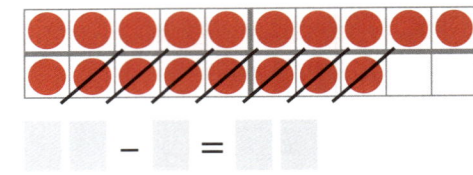

◻◻ + ◻ = ◻◻   ◻◻ – ◻ = ◻◻

2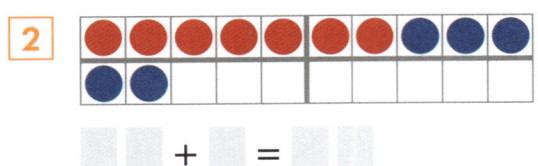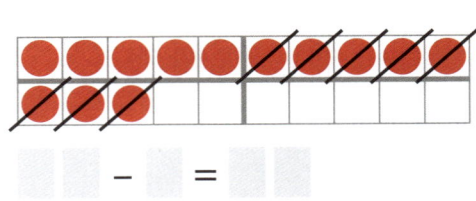

◻◻ + ◻ = ◻◻   ◻◻ – ◻ = ◻◻

3

+	3	5	4
15			
12			

–	8	10	9
20			
19			

4

+	4	0	5
14			
13			

–	7	8	9
18			
17			

5

14 + 4 = ◻◻   20 – 5 = ◻◻   13 + ◻ = 18

9 + 7 = ◻◻   18 – 9 = ◻◻   20 – ◻ = 11

8 + 6 = ◻◻   17 – 8 = ◻◻   11 + ◻ = 15

12 + 8 = ◻◻   15 – 7 = ◻◻   19 – ◻ = 12

Diese Seite fand ich: ◻ leicht ☺ ◻ mittel ☺ ◻ schwierig ☹

Körper

1

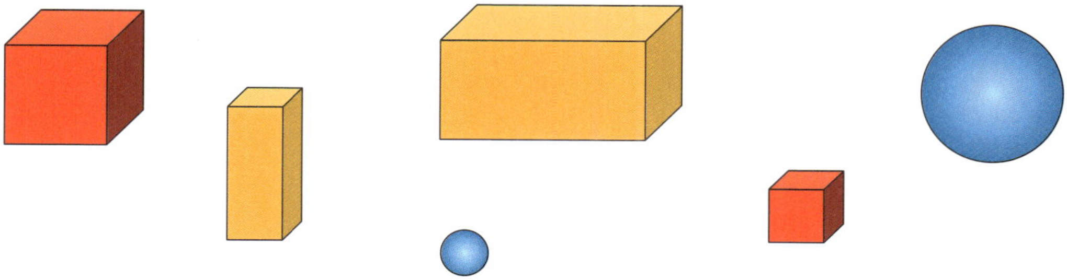

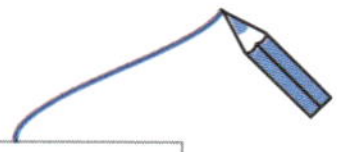

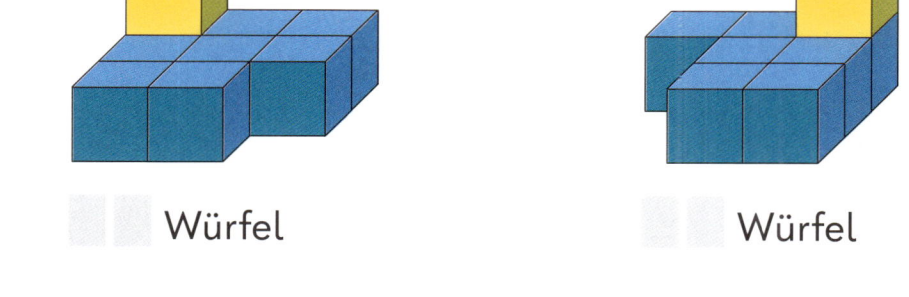

Quader	Würfel	Kugel

2

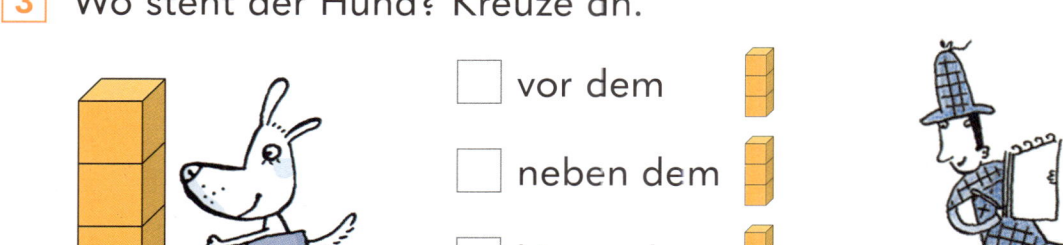

⬜⬜ Würfel   ⬜⬜ Würfel

3 Wo steht der Hund? Kreuze an.

⬜ vor dem

⬜ neben dem

⬜ hinter dem

Figuren

1

| Dreieck | Vireck | Kreis |

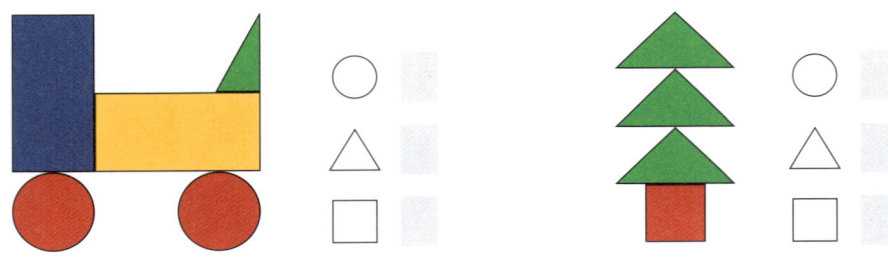

2 Zähle.

3 Male 5 ○, 2 △ und 4 □.

Linien, Geraden und Strecken

1

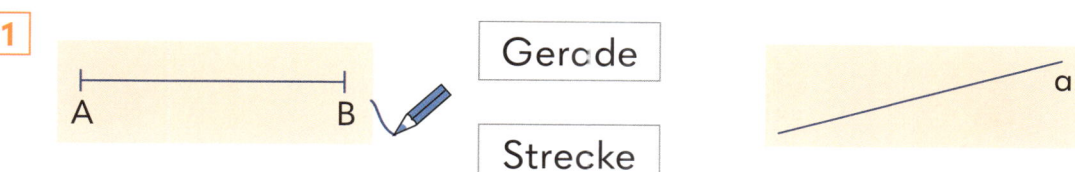

Gerade

Strecke

2 Setze ein.   gekrümmte   Gerade

Es gibt gerade und _____ Linien.

Eine gerade Linie nennt man auch eine _____ .

3 Setze ein.   Anfangspunkt   Endpunkt

Eine Strecke hat immer einen _____

und einen _____ .

4 Zeichne eine Gerade f
und darauf einen Punkt P.

5 Zeichne eine Strecke $\overline{AB}$.

Geld

1

5 €	1 €	10 €	20 ct

2

         €   ct

3 Ordne.

1 ct, _____

4
11 € + 3 € =   €   20 € − 15 € =   €

15 € + 1 € =   €   16 € − 8 € =   €

10 ct + 3 ct =   ct   20 ct − 6 ct =   ct

 5 ct + 9 ct =   ct   18 ct − 5 ct =   ct

Diese Seite fand ich: leicht ☺   mittel 😐   schwierig ☹

Längen und Zeit

1 Miss die Strecken.

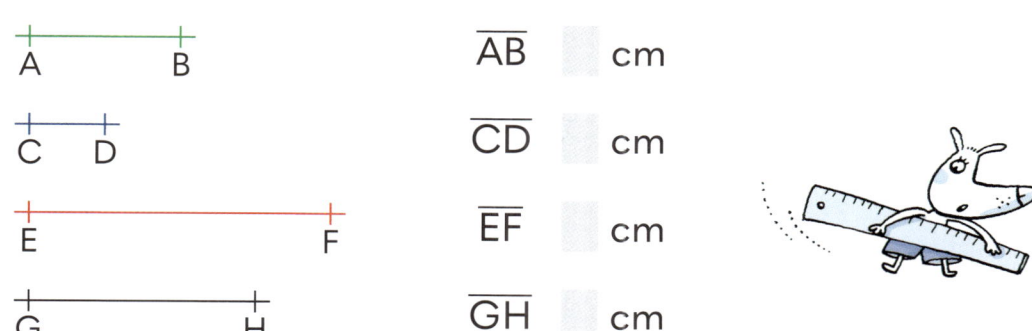

A ———————— B $\overline{AB}$ ▮ cm

C —— D $\overline{CD}$ ▮ cm

E ———————————— F $\overline{EF}$ ▮ cm

G ———————— H $\overline{GH}$ ▮ cm

2 Ergänze.

Ein Tag hat ▮ ▮ Stunden.

3

| 12 Uhr | 20 Uhr | 15 Uhr | 16 Uhr |

4

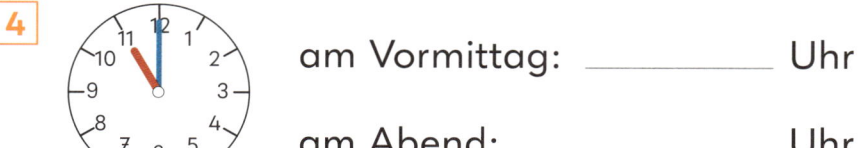

am Vormittag: _____ Uhr

am Abend: _____ Uhr

Das kann ich schon

Seite	Thema	geprüft von	Unterschrift
2	Ich kenne die Zahlen bis 6; ich kann Mengen den Anzahlen bis 6 zuordnen.		
3	Ich kann Zahlen bis 6 vergleichen und zerlegen.		
4	Ich kann im Zahlenraum bis 6 addieren und subtrahieren.		
5	Ich kenne die Zahlen bis 10; ich kann Mengen den Anzahlen bis 10 zuordnen.		
6	Ich kann im Zahlenraum bis 10 addieren und subtrahieren.		
7	Ich kenne die Zahlen bis 20; ich kann in der Stellenwerttafel Zahlen eintragen und ablesen.		
8	Ich kann im Zahlenraum bis 20 addieren und subtrahieren, mit und ohne Zehnerübergang.		
9	Ich kenne Körper, Würfel, Quader und Kugeln und kann ihnen Gegenstände zuordnen. Ich kann Raum-Lage-Beziehungen benennen.		
10	Ich kenne die ebenen Figuren Kreis, Dreieck und Viereck und kann sie zählen.		

	Seite	Thema	geprüft von	Unterschrift
	11	Ich kann Linien und Strecken erkennen und zeichnen.		
	12	Ich kenne die Geldscheine und Münzen; ich kann sie ordnen und mit Geld rechnen.		
	13	Ich kann Längen in cm messen, Uhrzeiten lesen (ganze Stunden); ich kenne die Vormittags- und Nachmittagszeiten.		

Mathefreunde 1, Portfolio-Heft

Redaktion: Susanne Knipper
Illustrationen: Daniel Müller, Uta Bettzieche (Hund, Kapitelvignetten), Katja Wehner (Urkunde)
Grafik: Christine Wächter
Gesamtgestaltung und Layoutkonzept: Heike Börner
Layout und technische Umsetzung: Cornelia Liersch, MeGA 14

Dieses Heft ist Bestandteil des Schulbuchs Mathefreunde 1 und nicht einzeln bestellbar.
Es kann im 10-er Pack nachbestellt werden (ISBN 978-3-46-481123-8).

Mathefreunde-Urkunde

Herzlichen Glückwunsch, _____,

du hast die Inhalte des

Buches „Mathefreunde 1"

_____ bearbeitet.

Datum: _____

Unterschrift: _____